GEUM URBANUM

La benoîte des villes (dite aussi Herbe de Saint-Benoît ou Herbe du bon soldat) doit son nom scientifique *Geum urbanum* (du grec *Geouma*, goût) à l'odeur agréable, proche de celle du clou de girofle, émise par ses racines. Cette plante vivace pousse dans les lieux ombragés – friches, lisières. En ville, on l'observe dans l'ombrage des plantations et des haies. Elle possède des propriétés anti-inflammatoire, antiseptique et cicatrisante. Les jeunes feuilles peuvent être consommées en salade.

The *Geum urbanum*, also known as wood avens, colewort or St Benedict's herb, owes its scientific name (*Geum*, from the Greek Geouma for taste, flavour) to the pleasant, clove-like smell emitted by its roots. This perennial plant grows in shady places - on uncultivated land or in verges. In cities it can be found in the shade of flower beds and hedges. The plant possesses anti-inflammatory, antiseptic and healing properties. Its young leaves can be eaten in salads.

GEUM URBANUM

Geoffroy Mathieu

Tanger - Marseille - Édimbourg

texte de Baptiste Lanaspeze
dessins de Stéphane Brisset

Filigranes Éditions

48

Les photographies ont été réalisées :

Pages 5, 9, 23, 25, 28, 31, 33, 38, 41, 42-43, 45, 48
à Marseille entre 2007 et 2010,
principalement pendant les printemps
2009 et 2010, grâce à une aide à la création
du Ministère de la Culture, DRAC Paca
obtenue en 2010.

Pages 6, 10, 24, 26-27, 29, 34, 37, 49, 50
à Tanger au mois d'avril 2010 à l'invitation
de Vol de nuits, Marseille, dans le cadre de
la thématique *Borderline 1, à géographie
variable*.

Pages 4, 8, 21, 22, 30, 32, 36, 40, 44, 46-47, 51, 52-53
à Édimbourg au mois de juin 2011 lors
d'une résidence à l'Institut français
d'Écosse.